PROJECT

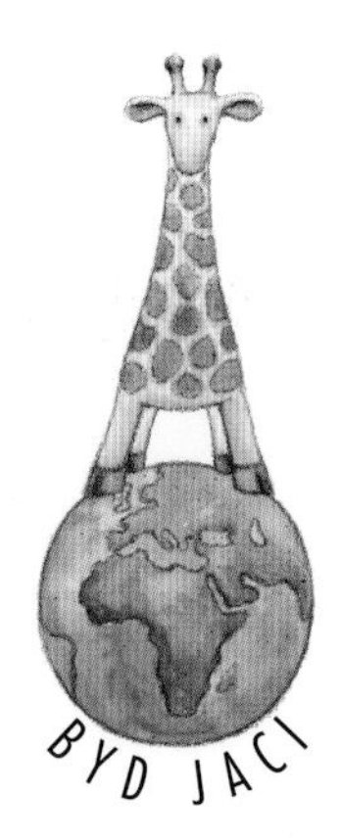

Argraffiad cyntaf—2001
Ail argraffiad—2006

ISBN 1 85902 963 9 (Safonol) ISBN-13 9781859029633

ISBN 1 85902 964 7 (Llyfr Mawr) ISBN-13 9781859029398

Cyhoeddwyd y gyfrol hon yn wreiddiol gyda chymorth ariannol ACCAC a
chydweithrediad Coleg y Drindod, Caerfyrddin.

Dymuna'r cyhoeddwyr gydnabod cymorth
Adran Olygyddol Cyngor Llyfrau Cymru.

Cynllun y clawr: Olwen Fowler

Argraffwyd yng Nghymru gan
Wasg Gomer, Llandysul, Ceredigion SA44 4JL
www.gomer.co.uk

Diwrnod Cyntaf Nia

Val Scurlock • Olive Dyer

Darluniau gan
Fran Evans

Gomer

Roedd hi'n amser brecwast ar ddiwrnod cyntaf Nia yn yr ysgol. Ond doedd hi ddim eisiau mynd!

Roedd Jaci Jiráff yn edrych arni o ben y cwpwrdd.

“Fe gei di fynd â Jaci gyda ti os yw Huw yn fodlon,” meddai Mam.

“Ydw,” atebodd Huw. “Mae Jaci wedi bod yn yr ysgol o’r blaen.”

Cerddodd Dad, Nia a Huw i'r ysgol. Dim ond lawr y stryd oedd yr ysgol. Roedden nhw yno mewn dim o dro.

Roedd Mrs Thomas, athrawes Nia, yn sefyll y tu allan.

"Helô, Nia," meddai. "Croeso i'r ysgol. Fe gei di hwyl yma. Dere i weld dy ffrindiau newydd."

Aeth Mrs Thomas â Nia i mewn i'r ysgol.
"Wel, dyna jiráff hardd. Beth yw ei enw, Nia fach?" holodd Mrs Thomas.
"Jaci," meddai Nia yn ddistaw bach.
"Huw, dangos i Nia ble i gadw ei chôt," meddai Mrs Thomas.

“Mae dy enw di yma’n barod, Nia,” sylwodd Huw.
“Ydi,” meddai Nia, gyda gwên fawr.

Roedd pawb yn brysur iawn yn y dosbarth.

"Dere i chwarae yn y tywod," meddai Mrs Thomas.

Roedd Kabo yn chwarae yno'n barod.

"Bydd yn garedig wrth Nia heddiw," meddai Mrs Thomas. "Dyma ei diwrnod cyntaf yn yr ysgol."

“Nawr, Jaci, eistedd ar y gadair i edrych ar Nia’n chwarae,” meddai Mrs Thomas.

“Beth yw dy enw di?” holodd Nia i’r bachgen.

“Kabo,” meddai. “Mae’n enw sy’n dod o Affrica.”

“O, Nia ydw i . . . Mae’n enw sy’n dod o . . . o . . . ’dwn i ddim!”

Ar ôl iddi orffen chwarae yn
y tywod, aeth Nia i fagu Jaci.

"Nia, dy dro di yw hi
i gael peintio nawr,"
galwodd Miss Jones,
oedd yn helpu yn
y dosbarth.

"Gad i mi roi Jaci i fyny ar silff uchel iddo gael gweld pawb," meddai Miss Jones.

Gwyliodd Jaci'r plant yn chwarae ym mhob rhan o'r dosbarth.

Dyma gynllun o ddosbarth Nia.

cornel chwarae
twba
tywod
bwrdd
silffoedd

Cyn amser chwarae aeth Mrs Thomas
â'r plant draw i'r gornel dawel.

"Bydd yn rhaid i chi wisgo eich
cotiau bore 'ma," meddai hi.

Yn sydyn, cododd Nia ar ei thraed.

"Beth sy'n bod, Nia?" holodd Mrs Thomas.

"Ble mae Jaci?" holodd Nia.

"Rwy'n gwybod ble mae Jaci," atebodd Mrs Thomas. "Ac fe gei di fynd ag e mas i chwarae."

Roedd llawer o blant yn chwarae tu allan ar yr iard. Roedd Huw yn brysur yn yr ardd.

"Helô, Nia," meddai Huw. "Miss Jones, ga i fynd â Nia i weld fy nosbarth i ar ôl amser chwarae?"

"Cei," atebodd Miss Jones. "Ond dos â hi i'r ystafell gotiau gyntaf."

Wedi i Nia gadw ei chôt aeth Huw
â hi allan o'r ystafell gotiau,

heibio'r grisiau

ac ar hyd y coridor drwy'r neuadd.

Edrychodd y ddau i'r dde a dweud
helô wrth y merched cinio.

Wedyn dal ati i gerdded ar hyd y coridor,

cyn troi i'r chwith i mewn i ystafell ddosbarth Huw.

Amser cinio eisteddodd Nia gyferbyn â Kabo.
Roedd Jaci'n eistedd rhwng y ddau.

“Rwy’n hoffi Jaci,” meddai Kabo. “Mae jiraffod go iawn i’w cael ble mae Mam-gu’n byw.”

Roedd pawb yn brysur drwy'r prynhawn.

Felly, dyna ble mae
Mam-gu'n byw.

Ar ddiwedd y dydd daeth Dad i nôl Nia a Huw. "Wyt ti wedi cael amser da, Nia?" holodd Dad. "Beth wyt ti wedi bod yn ei wneud?"

"Llawer o bethau . . . peintio . . . chwarae'n y tywod gyda Kabo . . ." atebodd Nia, ". . . ond, Dad, ble gawsoch chi fy enw i?"

Cynllun o ysgol Nia

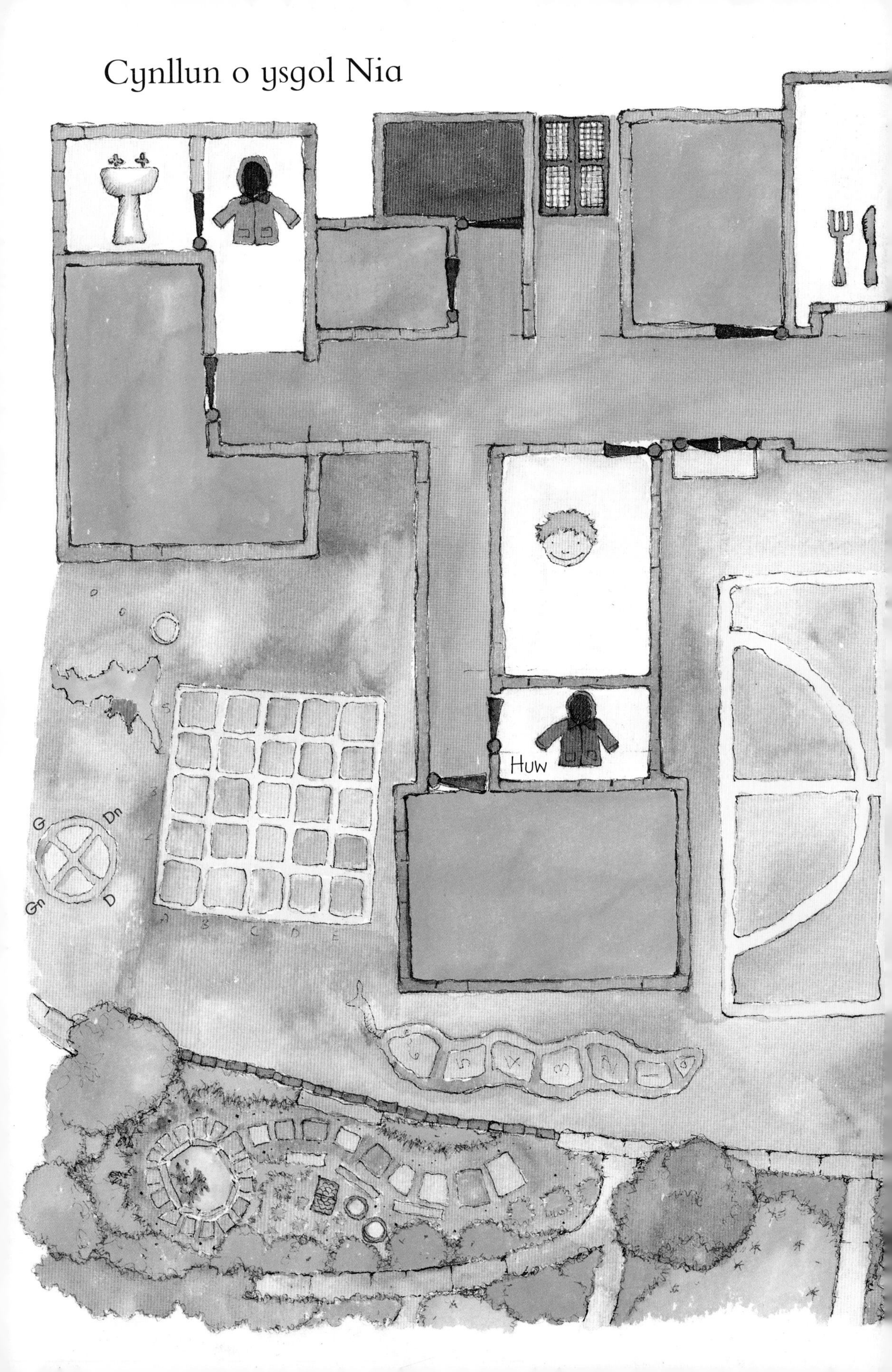